Cette histoire est une fiction. Toute ressemblance avec des personnes ou des évènements existants ou ayant existé est purement fortuite

6

kana
DARK

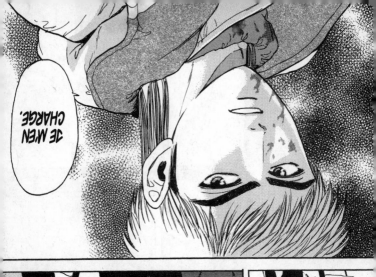

JE M'EN
CHARGE.

IL FAUT
SORT. EN
QUOI QUE...

IL FAUT
APPELER
UNE AMBU-
LANCE.

OUAIS.

LUI-
MÊME...?!

IL S'EST
LUI-MÊME
PLANTÉ
CE
COUTEAU.

PFFF...

IMBÉ-
CILE...

JE N'AI
RIEN
FAIT...

ALORS ? IL PARAIT QU'ILS ONT ARRÊTÉ LE MEURTRIER ?

IL NE FAUT PAS SE FIER AUX APPARENCES.

DIRE QUE C'ÉTAIT MIURA, LE GAMIN DU GROUPE D. JE N'EN REVIENS PAS.

LUI QUI SE FAISAIT TOUJOURS FRAPPER PAR LA BANDE DE TAYOSHI...

SAT

QUI AIT PU IGINER QU'IL ALAIT ANS ES TIAIRES DU UB... ?

!

PARAIT QU'IL S'EST FAIT RRÊTER LUI USSI.

COMMENT IL S'APPELAIT DÉJÀ TON POTE ? AOJUN ?

LE TYPE AVEC DES PIERCINGS PARTOUT.

SAT

...

LE GENRE À CULTIVER DES PLANTES, ET PAS QUE DES BONSAÏS...

DANS SON FRIGO, IL Y A CERTAINEMENT PLUS DE TRIPPERS QUE DE NOURRITURE.

IL A TOUJOURS ÉTÉ FOURRÉ DANS DE SALES COMBINES.

ÇA NE ME TONNE PAS.

MOI, JE N'ARRIVE TOU- JOURS PAS À Y CROIRE.

COMMENT PEUT-ON ARRIVER À MANIPULER DES GENS APRÈS LEUR AVOIR FAIT PRENDRE DES CHAMPIGNONS HALLUCI- NOGÈNES ?

QU'[...] LES [...] ENSL[...] MAN[...] PULÉ [...] MAIS [...]

ET POURTANT ÇA EXISTE RÉELLE- MENT.

...

C'EST TRÈS DIFFICILE À EXPLIQUER DE MANIÈRE RATIONNELLE ET ENCORE PLUS DIFFICILE À PROUVER.

CEUX QUE "LE SORCIER" AURAIT DÉPOSSÉDÉS DE LEUR ÂME DEVIEN- DRAIENT DE VÉRITABLES MARION- NETTES. DANS CE PAYS, ILS SONT APPELÉS...

LES ZOMBIES...

SÉVIT UN HOMME APPELÉ "LE SORCIER". IL PRATIQUERAIT LA MAGIE NOIRE ET EN SE SERVANT D'UN MÉLANGE D'HERBES MÉDICINALES, IL PARVIENDRAIT À MANIPULER QUICONQUE BOIRAIT SA POTION.

ON RACON[...] QUE DA[...] UN PAY[...] SITUÉ EN [...] L'AMÉRI[...] CENTRALE [...] L'AMÉRI[...] DU SUD, [...] LES SEC[...] LOCALE[...] SONT TR[...] RESPEC[...] TÉES...

AURAIT UNE COMPO- SITION PROCHE DES DROGUES LES PLUS DURES.

LA POTION DU "SORCIER", AUSSI APPELÉE "ZOMBIE POWDER"...

C'E[...] EXAC[...] MEN[...] COM[...] DAN[...] NOT[...] AFFAIR[...]

HUM...

C'EST COMMENT UN TYPE AUSSI INSIGNIFIANT QUE LUI A PU DÉVELOPPER SOUDAINEMENT UNE TELLE FORCE ?

MAIS CE QUI M'ÉCHAPPE SURTOUT...

C'EST JUSTEMENT PARCE Q... ÉTAIT T... CE QU'IL A DE PL... ORDINA... QU'UN... FORM... D'INSAT... FACTION... DE HAI... S'EST CONC... TRE...

LE HASARD A VOULU QU'APRÈS AVOIR PRIS DES CHAMPIGNONS HALLUCINOGÈNES, CETTE ÉNERGIE SE MATÉRIALISE DANS SA VOIX.

ET RÉVEILLE PAR LÀ MÊME DES FACULTÉS LATENTES.

CE QU'ON POURRAIT APPELER SON "ÉNERGIE NÉGATIVE". UNE ÉNERGIE TERRIFIANTE...

IL M'A DIT...

ET SE DIRIGEAIENT À L'INTÉRIEUR DE QUELQU'UN D'AUTRE.

COMME SI MES PENSÉES SE DÉTACHAIENT DE MON CORPS...

...

EH, OH...

LÀ, ÇA DEVIENT CARRÉMENT OCCULTE.

COMME CES GENS QUI SONT "POSSÉDÉS".

À L'INTÉRIEUR D... QU... QU... D'AU...

UN SCIENTIFI-QUE D'UN GROUPE DE RECHERCHE DU M.I.T.i.* A ÉTUDIÉ LES COMPOR-TEMENTS DES RATS...

D'APRÈS UN ARTICLE QUE J'AI LU DANS UN MAGAZINE, IL SE SERAIT INTÉRESSÉ AU POIDS DE L'ÂME.

IL AFFIRMAIT QUE LE POIDS DU RAT DIMINUAIT DE 70 GRAMMES JUSTE AVANT DE MOURIR.

EIN ,?!

*Ministère japonais du commerce et de l'industrie

SI ON RAPPROCHE CELA DE CE QUI EST LE PROPRE DE L'HOMME, À SAVOIR "LA CONSCIENCE"...

À DIRE VRAI, JE FAIS PLUTÔT PARTIE DE CEUX QUI RÉFUTENT L'EXISTENCE D'UNE ÂME OU D'UN QUELCONQUE ESPRIT MAIS...

N PEUT RIVER À TTACHER ELA AU AS DE ILIRA.

ON PEUT AGINER QUE TTE PARTIE NTRODUISE DANS UN TRE CORPS T PRENNE CONTRÔLE DE SA ONSCIENCE...

EN SUP-POSANT QUE CE SOIT POS-SIBLE...

L'ABSORP-TION DE SUBSTANCES HALLUCINO-GÈNES A PROVOQUÉ CHEZ LUI UNE RUPTURE ENTRE LE CORPS ET LA CONS-CIENCE.

MAIS BON, LÀ, ON ENTRE CARRÉMENT DANS LE MONDE DE L'IMAGI-NAIRE...

UNE PARTIE DE SA CONSCIENCE HABITUEL-LEMENT CONTENUE PAR LE CORPS SE SERAIT DÉTACHÉE...

DE CE
QUE J.
VU, IL N
DANS L
COEUR

QU'UN
AMAS DE
REGRETS.

QU'IL A
PEUT-ÊTRE
COMMENCÉ
À EN
VOULOIR À
LA TERRE
ENTIÈRE.

C'EST
À PARTIR
DE
CA...

UNE
SUITE DE
SENTI-
MENTS
TOURNÉS
VERS LE
PASSÉ.

"J'AUR
DÛ FA
CA", "
N'AUR
PAS D
ALLER

C'EST LA
RAISON POUR
LAQUELLE, MÊME
SI LES VICTIMES
SE DÉSHABILLAIENT
ENTIÈREMENT,
ELLES NE
SUBISSAIENT
AUCUNE
VIOLENCE
SEXUELLE.

DE
PLUS, IL
SEMBLE
QU'IL AIT
SOUFFERT
D'UN
MANQUE
DE
MATURITÉ
SEXUELLE.

FINA
MEN
VOT
PROFI
ÉTA
JUS

PLUS ON
EN PARLE
ET PLUS
JE TROUVE
QU'IL EST À
PLAINDRE.

IL Y
AVAIT
BIEN
DERRIÈRE
CETTE
AFFAIRE
UNE
HISTOIRE
DE VEN-
GEANCE.

...

# LES CHOSES QUI NOUS AIDENT DANS L'OMBRE À LA RÉALISATION DE ELO! (1)

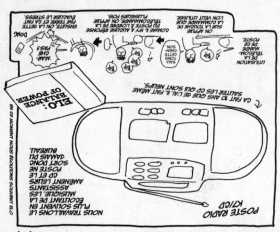

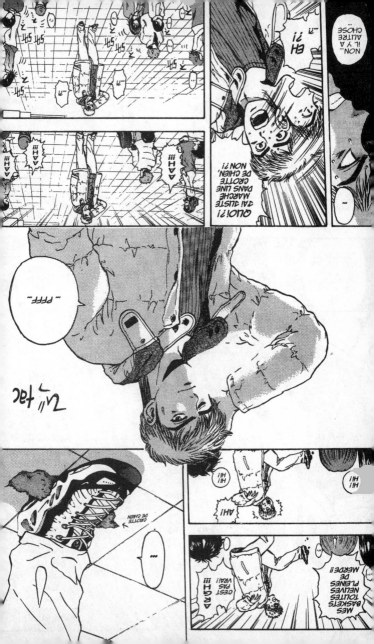

RENDS-TOI! AVEC DIGNITÉ!

C'EST LA MEILLEURE CHOSE À FAIRE!

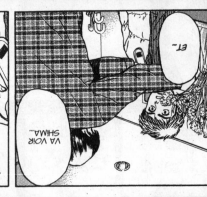

NE DIS RIEN, J'AI COM-PRIS...

ET-

VA VOIR SHIMA...

TAP TAP

...

UFM USS...

OK...

tac tac

...

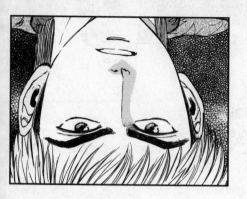

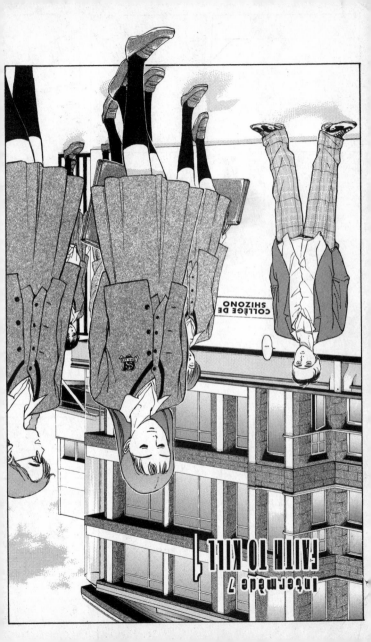

...

MEGU
~?

...

MEGU
...?!

TAKASHIiiii!!

J'AI VU LEURS VISAGES.

COMMENÇONS PAR ALLER À LA POLICE.

MAIS ON NE VA QUAND MÊME PAS RESTER LÀ SANS RIEN FAIRE APRÈS CE QUI S'EST PASSÉ ?!

NON, SURTOUT PAS! SI JAMAIS L'ÉCOLE APPREND QUE J'ÉTAIS AVEC TOI, JE SERAI RENVOYÉE.

CRUNCH

CRUNCH

...

CA IRA.

ILS NE M'ONT RIEN FAIT DE TOUTE FAÇON !

JE TE RACCOM-PAGNE.

ㄱtac
ㄱ...

PLOC
PLOC
ぼっ
ぽたっ

JE PEUX SUP-PORTER ÇA...

MAIS, IJICHI... ÇA CRAINT VRAIMENT CE QU'ON A FAIT...

C'EST DE TA FAUTE, SHINJI ! TU ETAIS CENSE MONTER LA GARDE, NON ?

T'ES CON O... QUOI SI ON AVAIT P TERMIN... TU PE... ETRE S... QUE L... FILLE N'AURA... RIEN D...

ET AU CON-TRAIRE, EN NE FAISANT LES CHOSES QU'A MOITIE, ELLE RISQUE DE...

!?

...

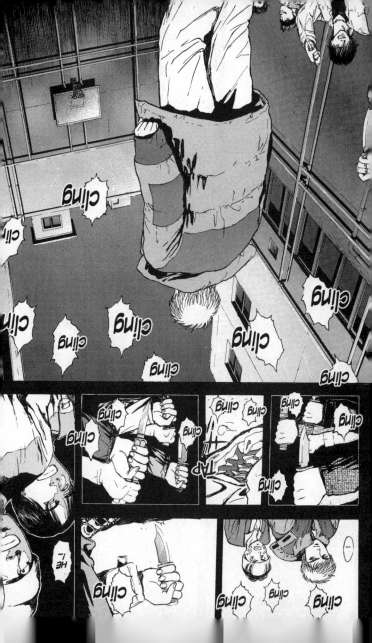

# LES CHOSES QUI NOUS AIDENT DANS L'OMBRE À LA RÉALISATION DE EiJi (2)

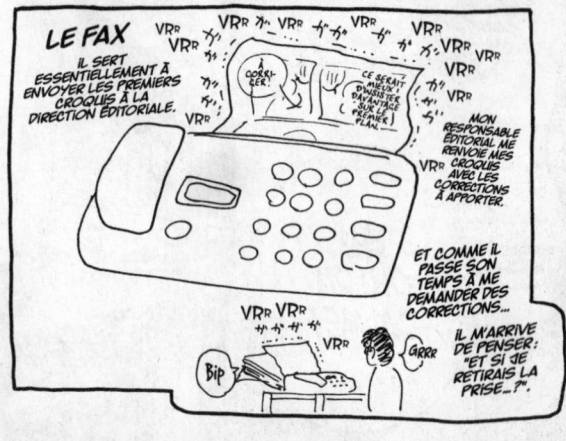

LE FAX

VRr VRr VRr VRr VRr VRr VRr VRr VRr VRr

IL SERT ESSENTIELLEMENT À ENVOYER LES PREMIERS CROQUIS À LA DIRECTION ÉDITORIALE.

OORRI-CER!

CE SERAIT MIEUX D'INSISTER DAVANTAGE SUR CE PREMIER PLAN

MON RESPONSABLE ÉDITORIAL ME RENVOIE MES CROQUIS AVEC LES CORRECTIONS À APPORTER.

ET COMME IL PASSE SON TEMPS À ME DEMANDER DES CORRECTIONS...

VRr VRr VRr

Bip

GRrr

IL M'ARRIVE DE PENSER: "ET SI JE RETIRAIS LA PRISE...?".

**PSYCHOMETRER EIJI**

...AH...

UNE COLLE-GIENNE QUI SE PROS-TITUE...

CETTE SOCIÉTÉ NE S'ARRANGE VRAIMENT PAS, C'EST DE PIRE EN PIRE.

CE N'EST RIEN D'AUTRE QUE DE LA PROSTI-TUTION ! UN ÉCHANGE DE BONS PROCÉDÉS ?

ALORS SI UN GENTIL MONSIEUR VOULAIT BIEN M'INVITER DE TEMPS EN TEMPS, JE POURRAIS ÊTRE TRÈS GENTILLE, MOI AUSSI. LAISSEZ-MOI UN MESSAGE DE POCHE SI VOUS ÊTES INTÉRESSÉE.

JE PROVIENS D'UNE FAMILLE AISÉE PLUTÔT SÉVÈRE MAIS MES PARENTS SONT SÉVÈRE ET ILS NE ME DONNENT JAMAIS DARGENT DE POCHE

JE SUIS ÉLÈVE DANS UN COLLÈGE PRIVÉ POUR JEUNES FILLES.

LE NU-MÉ-RO EST

...

Affaire 5 : JUSTICE !, LE TUEUR SANGUINAIRE

BEN ALORS, TÔRU ? ON EST DEVENU ADULTE ?

!

AH TA TA TA TA TA TA TA TA !

PARDON, JE SUIS DÉSOLÉ ! FRAPPE-M...

TU POURRAS FAIRE CE QUE TU VEUX LE JOUR OÙ TU ARRÊTERAS CE JOB.

J'AI JUSTE À EFFACER LA DATE DE PÉREMPTION, C'EST ÇA ?

OUAIS.

JE SUIS DÉSOLÉ.

DU CALME DU CAL...

N'EN PROFITE PAS POUR RALENTIR LA CADENCE ! ET SURVEILLE LE MAGASIN.

EH, PETIT ! JE SORS FAIRE UNE PAUSE.

LIRE DES MANGAS DEBOUT, ÇA CREUSE !

ON AVAIT LA DALLE ET ON SE DEMANDAIT SI TU N'AVAIS PAS QUELQUES REPAS FROIDS EN RAB.

ENCORE VOUS ?

CLAC

CRAT

OUI, ENTENDU.

FAIS-LUI SA FÊTE ! CE NE SONT PAS LES JOBS QUI MANQUENT !

ET ALORS ?

JE NE PEUX RIEN Y FAIRE, C'EST LE FILS DU GÉRANT.

...À QUI TU FAIS DES COURBETTES ?

C'EST QUI, CE CONNARD...

NOUIL

NOUIL AU CU

BING

OH ?

TÔRU ?

?

BAH, C'EST PAS AUSSI SIMPLE.

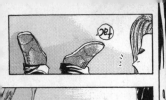

VRRRRRRRRRR

DANS CE CAS, IL NE FALLAIT PAS ACCEPTER SON CADEAU.

ET C'ÉTAIT QUOI AU FAIT ?

TU SAIS, IL RESSEMBLE À UN DE CES TYPES DE LA TÉLÉ... PETIT ET TRAPU...

JE NE POURRAIS JAMAIS SORTIR AVEC UN TYPE PAREIL.

QUELLE COULEUR ?

!!

QUOI ?!

BLANC... ENFIN, BLANC CASSÉ PLUTÔT...

!!

DE LA CONFITURE FAITE MAISON. C'EST CE QU'IL M'A DIT.

EiJi ♡

VROOM VROOM

ALORS, EIJI, TU ME DIS CE QUE C'EST ?

CETTE CONFITURE BLANCHE !

BEN NON, ÉVIDEMMENT. POURQUOI ?

NE ME DIS PAS QUE TU EN AS MANGÉ...?!

VROOM

HEIN ?!

JETTE LE POT ! LAISSE TOMBER.

NON, C'EST RIEN, LAISSE TOMBER.

NON, JAMAIS. C'EST QUOI ?

TU N'AS JAMAIS ENTENDU PARLER DE CES JEUNES CHANTEUSES QUI ONT LE DES POTS DES CONFITURE BLANCHE !

N TU SI CE EUX SSO OI !

"DES TRUCS" ?

TU LA CON- NAIS ?

ELLE EST VENUE OUI... ACHETER DES TRUCS DANS LE CONVE- NIENCE STORE OÙ BOSSE TÔRU.

FSHHHH !!

~? DES TRUCS ?

~?

JE VEIN -A-RA !

IL Y A UNE FORTE PROBABILITÉ QUE LE MEURTRIER TUE SES VICTIMES PARCE QUE CES FILLES COMMET- TENT...

BON, PAS- SONS...

MAIS !!

TU ROUGIS ENCORE POUR ÇA À TON ÂGE ?

DE PLUS, ON EST EN DROIT DE PENSER, QU'AU NOM DE LA JUSTICE...

LE DIRECTEUR ÉDITORIAL DU "MAGAZINE" A CHANGÉ.

DIRECT LIVE

NE VA S EN S TER À...

ET C'EST POUR ÇA QU'IL SIGNE " JUSTICE " ~?

KAHOMEEZ

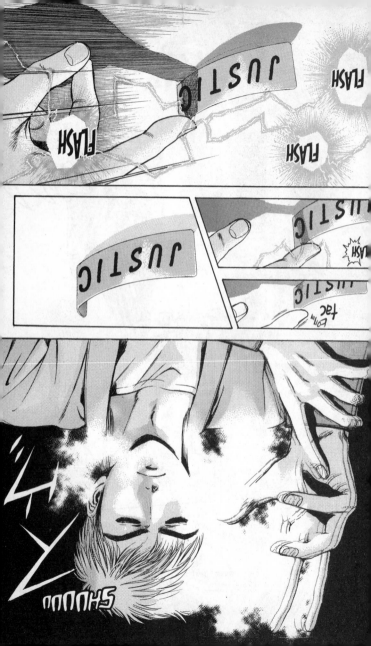

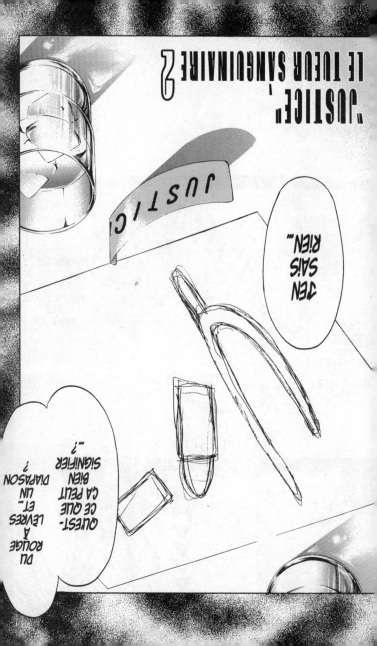

GRRR...

JE VEUX BIEN RÉESSAYER SI TU METS LA MAIN SUR AUTRE CHOSE MAIS...

C'EST JUSTEMENT LE PROBLÈME : LES PIÈCES À CONVICTION SONT DE PLUS EN PLUS SURVEILLÉES...

*PARCE QU'IL PARAÎT QUE JE ME SERS TROP FACILEMENT SANS PERMISSION.*

EN FAIT M... VISION ES... COMPLÈ... TEMEN... TROUBLE... BEAUCO... TROP PO... QUE J'Y VOI... CLAIR.

ÉDITION SPÉCIALE
MEURTRES DE JEUNES FILLES

ILS PARLENT DE NOTRE AFFAIRE...

RE-GARDE, SHIMA...

ET QUI CONTINUE DE FAIRE DES VICTIMES...

AUTRE-MENT DIT QUEL-QU'UN QUI PRÉTEND AGIR AU BIEN DE TOUS.

IL... S'A... DO... D... "JU... TIC...

JE PENSE QUE CES MEURTRES SONT L'ŒUVRE D'UNE SEULE PERSONNE...

QUEL EST VOTRE AVIS SUR LA QUES-TION, M. YANAGI-MOTO ?

EN EFFET...

UN TUEUR DANS LA VILLE ? Y AURA-T-IL D'AUTRES VICTIMES ?

NO... INVI... AUJO... D'H... ES... M.... YAS... YANA... MO... EXPE... EN... CRIMI... LOG...

YASUO YANAGIMOTO
CHERCHEUR ET EXPERT EN CRIMINOLOGIE

EH BIE...

À PARTIR DE SON MESSAGER DE POCHE, IL A ÉTÉ CLAIREMENT ÉTABLI QUE L'UNE DES VICTIMES, UNE COLLÉGIENNE, ENTRETENAIT DES RAPPORTS PROCHES DE LA PROSTITUTION.

Mlle A. (14 ANS) VICTIME.

IL EST BIEN ÉVIDEMMENT DIFFICILE DE PARDONNER À QUELQU'UN DE COMMETTRE DES CRIMES AU NOM DE LA JUSTICE MAIS...

ON NE PEUT NIER QUE CES COLLÉGIENNES QUI SE PROSTITUENT POUR AVOIR UN PEU D'ARGENT DE POCHE ONT ÉGALEMENT UN PROBLÈME.

NASANY

IL NE FAUT DONC PAS S'ÉTONNER NON PLUS QUE DE TELS MEURTRES SOIENT PERPÉTRÉS ENSUITE.

...

Snif

TOUT A COMMENCÉ DANS LES MAGASINS VENDANT DES UNIFORMES DE COLLÉGIENNES.

CERTAINS HOMMES SE LAISSAIENT COMPLÈTEMENT MENER PAR LE BOUT DU NEZ PAR DES FILLES QUE SEUL L'ARGENT INTÉRESSAIT. UN TRAVERS DE NOTRE SOCIÉTÉ.

GAGEONS QUE CETTE HISTOIRE SERVIRA DE LEÇON AUX JEUNES FILLES UN PEU TROP FRIVOLES...

LES PARENTS REVERRONT LEUR ÉDUCATION.

IL ACCUSE LES VICTIMES?! ENCORE UN PEU ET IL PRENDRAIT LA DÉFENSE DU MEURTRIER!

D'OÙ IL SORT, CET EXPERT À LA NOIX?!

VLAM

ばん

C'EST UN TYPE COMME LUI QUI A TUÉ CES FILLES...

C'EST QUOI, CE JUSTICIER À MOU MOLITE!?

OH...

C'EST VRAI QU'IL A UNE TÊTE À PORTER UNE PERRUQUE.

AUCUN DOUTE QUE CE SONT LES HOMMES QUI ONT INVENTÉ CE SYSTÈME " D'ÉCHANGE DE BONS PROCÉDÉS " !!

SI LES HOMMES NE SORTAIENT PAS AUSSI FACILEMENT LEUR ARGENT POUR SE PAYER DU PLAISIR, CE GENRE DE CRIME N'EXISTERAIT PAS!

ILS PENSENT POUVOIR SE LIBÉRER DE LEURS PULSIONS MALSAINES!

AVEC L'ARG...

POSSIBLE, OUAIS...

slurp slurp

DÉMON!

TU M'ÉCOUTES ?

ARRÊTE... TU ME FAIS PEUR...

ENFIN, D'UN CÔTÉ, IL N'A PAS COMPLÈTEMENT TORT...

ET SI C'ÉTAIT JUSTEMENT CE VIEIL OBSÉDÉ LE MEURTRIER?

TOUT À FAIT D'ACCORD! LES VICTIMES, CE SONT CES FILLES QUI ONT ÉTÉ TUÉES! IL NE FAUT PAS INVERSER LES RÔLES.

S'IL MEURT, JE NE LE PLEURERAI PAS.

OUI! LE VIEUX QUI PARLAIT M'A TROP ÉNERVÉE!

TU AS V... L'ÉMI... SIO... SPÉCIA... DE C... MATIN...

EH BEN, SI CERTAINES FILLES N'ÉTAIENT PAS TELLEMENT PRÊTES À TOUT POUR DE L'ARGENT, IL N'Y AURAIT PLUS DE DEMANDEURS.

AH BON ? TU PEUX M'EXPLI-QUER EN QUOI ?

← ELÈVE FILLE A

...SSE-LES ...E. CES ...PES SONT ...GENRE À ...NOMI-...R POUR ...OIR SE ...ER UNE ...MINE À ...NE ...RMÉE !

← ELÈVE FILLE B
ELÈVE FILLE A

VOUS ÊTES COMPLÈTEMENT STUPIDES OU QUOI ? VOUS AVEZ QUOI DANS LA TÊTE ?

MOI, JE NE VOIS PAS OÙ EST LE MAL DE CEUX QUI NE FONT QU'ACHETER CE QU'IL Y A À VENDRE.

NON ?

ELÈVE GARÇON A

C'EST L'INVERSE ! C'EST PARCE QU'IL Y A DES TYPES PRÊTS À PAYER, QU'IL Y A DES FILLES QUI SONT TENTÉES !

← ELÈVE GARÇON B    OUAIS.

...ÔRU...!!

HEIN ?!    HEIN ?

...VE ...LE C    ELÈVE FILLE B

ELÈVE FILLE A

SNIF

SNIF

SNIF

TO...

HEIN ? MOI, JE DIRAIS PLUTÔT QUE VOUS ÊTES ÉNERVÉES PARCE QUE PERSONNE N'EST PRÊT À PAYER POUR VOUS !

ELÈVE FILLE D

ELÈVE GARÇON A

AH ! C'EST DÉGOÛ-TANT !

ELÈVE FILLE B

ELÈVE FILLE A

ELÈVE GAR-ÇON C

QUELS MINA-BLES VRAI-MENT !

OUI...

ELÈVE FILLE C

C'EST C'EST TERRI-BLE !

MPF ! MPF !

SLAC

ENSUITE, ON A PU CONSTATER QU'ELLES AVAIENT ÉTÉ FRAPPÉES VIOLEMMENT PLUS D'UNE DIZAINE DE FOIS AVEC UNE BARRE MÉTALLIQUE DONT NOUS VOUS PARLIONS PRÉCÉDEMMENT.

DANS CHAQUE AFFAIRE, LES VICTIMES ONT ÉTÉ RETROUVÉES AVEC UN SAC PLASTIQUE SUR LA TÊTE.

AU POINT DE FAIRE EXPLOSER LA BOÎTE CRÂNIENNE ET D'EN RÉDUIRE TOUS LES OS EN MIETTES.

...

VEUIL-LEZ M'EX-CU-SER.

HUM...

LE CERVEAU N'EST PLUS RETENU QUE PAR LA PEAU...

DE PLUS...

ET...

C'EST PROBABLEMENT UNE DES RAISONS QUI EXPLIQUENT QUE SEULES DES FILLES AUX CHEVEUX LONGS ONT ÉTÉ AGRESSÉES.

SUR CHAQUE CORPS, NOUS AVONS PU CONSTATER QUE DES CHEVEUX AVAIENT ÉTÉ COUPÉS ET EMPORTÉS.

C'EST EN VOULANT RAMASSER UN SAC PLASTIQUE DANS UN BUISSON...

OUI... LE CORPS A ÉTÉ DÉCOUVERT PAR DEUX GARDIENS DE LA PAIX, MM. TAMAKI ET YAMAMOTO, À L'OCCASION DE LEUR RONDE DE NUIT.

...QU'ILS ONT DÉCOUVERT LE CORPS DE LA DERNIÈRE VILLE.

AFFAIRE "JUSTICE"

AVEZ-VOUS DES DÉTAILS SUR LES CIRCONSTANCES DE LA DÉCOUVERTE DE LA DERNIÈRE VICTIME ? EN-SUITE ?

5 MARS LIEU VICTIME

9 MARS LIEU VICTIME

17 MARS LIEU VICTIME

PORTANT LE MOT "JUSTICE".

PAR AILLEURS, SUR CHAQUE SAC FIGURAIT UNE ÉTIQUETTE IMPRIMÉE...

JARDIN PUBLIC 17 MARS 1997

JARDIN PUBLIC 9 MARS 1997

1997年3月17日

JUSTICE

LE DEUXIÈME PORTAIT LES INSCRIPTIONS D'UNE LIBRAIRIE QUI SE TROUVE À PROXIMITÉ DU LIEU DU CRIME.

QUANT AU TROISIÈME, C'EST UN SAC PROVENANT D'UNE PHARMACIE SITUÉE DEVANT LA GARE...

ET LES SACS PLASTIQUE ?

DANS LE CAS DU PREMIER MEURTRE, IL PROVENAIT D'UN SUPER-MARCHÉ SITUÉ EN SOUS-SOL, DANS LE CENTRE VILLE.

LIBRAIRIE GINRÔ
SILVER WOLF BOOKS

AVEZ-VOUS CHERCHÉ QUI POUVAIT POSSÉDER UNE MACHINE POUR IMPRIMER CE TYPE D'ÉTIQUETTE ?

IL EST DONC TRÈS DIFFICILE DE FAIRE AVANCER LES RECHERCHES DANS CETTE DIRECTION.

C'EST UNE IMPRESSION TOUT CE QU'IL Y A DE PLUS CLASSIQUE. ON DÉNOMBRE PLUS DE 100 000 MACHINES DE CE TYPE DANS TOUT LE PAYS.

PAR CONTRE, ON PEUT PENSER QUE CES SACS SE TROUVAIENT À UN POINT DE RAMASSAGE DES ORDURES.

JE VEUX BIEN ADMETTRE QU'UNE CANETTE DE CAFÉ PUISSE COULER À L'INTÉRIEUR DU SAC EN FAISANT DES COMMISSIONS. MAIS SUR LA PARTIE EXTERNE, CELA ME PARAÎT DIFFICILE.

FAITES ANALYSER LES TRACES DE CAFÉ QUI ONT ÉTÉ RETROUVÉES...

... SUR LES SACS PLASTIQUE.

QUI AURAIENT PU COULER SUR CES SACS.

CE SERAIENT ALORS LES ORDURES DÉPOSÉES AU-DESSUS...

EN CONSÉQUENCE, LES EMPREINTES COMME LES CHEVEUX N'APPARTIENNENT EN RÉALITÉ QU'À DES GENS ORDINAIRES QUI ONT JETÉ LEURS ORDURES MÉNAGÈRES.

ET QUELQU'UN D'AUSSI PRUDENT...

À PARTIR DE CES DIFFÉRENTES CONCLUSIONS, ON PEUT AFFIRMER QUE LE MEURTRIER EST QUELQU'UN QUI A UN SENS AIGU DE L'ORDRE.

...

NE LAISSERAIT PAS BÊTEMENT SES PROPRES EMPREINTES SUR LES SACS.

PAR CONSÉQUENT, NOTRE "JUSTICE" A TRÈS PROBABLEMENT RAMASSÉ CES SAC DANS UN DÉPÔT D'ORDURES ET S'EN EST SERVI ENSUITE.

ALLEZ JETER UN OEIL SUR UN DÉPÔT D'ORDURES ET VOUS COMPRENDREZ.

!?.... COMMENT ?!

ON PEUT DE PLUS IMAGINER QUE LE MEURTRIER EST QUELQU'UN QUI A UN RAPPORT ÉTROIT AVEC LES CONVENIENCE STORES.

AUTREMENT DIT, L'ASSASSIN...

ÉVITE VOLONTAIREMENT D'UTILISER LES SACS PLASTIQUE DE CES MAGASINS !

EN TERMES DE PROBABILITÉ, CE N'EST ABSOLUMENT PAS NORMAL. CEPENDANT, PARMI LES SACS QUE NOTRE CRIMINEL A UTILISÉS, AUCUN NE PROVIENT D'UN DE CES MAGASINS DE PROXIMITÉ.

DE NOS JOURS, PRESQUE TOUS LES SACS QUI SERVENT À JETER LES ORDURES PROVIENNENT DES CONVENIENCE STORES.

AUTRE DÉDUCTION : CES MAGASINS NE FERMENT JAMAIS. ILS SONT OUVERTS TOUTE L'ANNÉE, JOUR ET NUIT. C'EST DONC UNE PERSONNE QUI N'A PAS UN RYTHME DE VIE CLASSIQUE ET QUI VIT CERTAINEMENT DANS LA SOLITUDE.

À PARTIR DE LÀ, ON PEUT EN DÉDUIRE QUE LE CRIMINEL FRÉQUENTE DE MANIÈRE PRESQUE EXCESSIVE LES CONVENIENCE STORES ET QUE DANS SA CHAMBRE, LES SEULS SACS PLASTIQUE QUE L'ON PEUT TROUVER SONT CEUX PROVENANT DE CES MAGASINS.

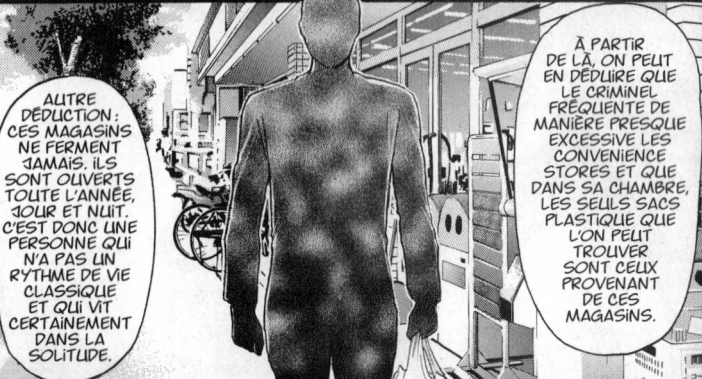

CERTES MAIS...

OUI... MAIS DE LÀ À DIRE QUE CES DONNÉES VONT NOUS AIDER À FAIRE AVANCER L'ENQUÊTE...

HÉ

HUM...

...
VOUS NE POUVEZ PAS LES IGNORER. CE SONT DES DONNÉES PSYCHOLOGIQUES PARFAITEMENT FIABLES !
EH, TÔRU, LES PLATEAUX REPAS QUE TU NOUS AS FILÉS HIER, ILS ÉTAIENT RANCES.
AH BON ?
AU FAIT, JE SAIS QUE LE "SHÔNEN MAGAZINE" NE SORT QUE DEMAIN MAIS... TU L'AS DÉJÀ EN STOCK...
NON ?
...

TU SAIS, JUN, JE L'AI VU.

MAGAZINE

MANGER

EH! VOUS COMMENCEZ À M'EMMERDER À VENIR TOUS LES JOURS... VOUS N'AVEZ RIEN D'AUTRE À FAIRE?

!

JE NE SAIS PAS DE QUOI VOUS PARLEZ...

COMBIEN TU AS ÉTÉ PAYÉE?

SI JE M'ATTENDAIS À ÇA. UNE FILLE MIGNONNE COMME TOI FAIRE UN TRUC PAREIL...

NE T'INQUIÈTE PAS, JE N'EN PARLERAI PAS À MON PÈRE.

PARCE QUE S'IL LE SAVAIT, C'EST SÛR QU'IL TE VIRERAIT.

...

CLANG

PLUTÔT QUE DE FAIRE UN TRUC COMME ÇA...

MAIS TU SAIS, LA PROCHAINE FOIS QUE TU AS DES PROBLÈMES D'ARGENT, TU N'AS QU'À M'EN PARLER. ON PEUT S'ARRANGER.

MÊME POUR TOI, CE SERAIT MIEUX, NON?

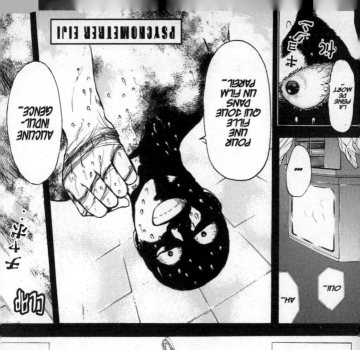
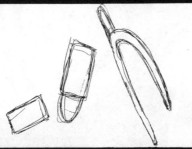

TADAN

JE VAIS À ... NE DE ...RTIR ... LYCÉE, ...RIVAIS ...NS LA ...TALE, ...E NE ...NNAIS ...S PAS ...AND... ...OSE...

AU DÉBUT, J'AI ÉTÉ ABORDÉE DANS LA RUE POUR UN CASTING...

JE VAIS TE CRAMER SUR LE GRIL À BROCHETTES!

FAIS GAFFE !!

NON, EN FAIT, LES COURS D'ART DRAMATIQUE, ÇA FAIT SEULEMENT SIX MOIS.

ARRÊTE DE FRIMER !!

EH! QU'EST-CE QUE TU FAIS ?!

ET TU SUIS DES COURS DE THÉÂTRE DEPUIS ?

ALORS ÇA FAIT UN AN QUE TU ES ARRIVÉE À TOKYO ?

HM...

JE ME SUIS DIT QUE ÇA NE POUVAIT PAS DURER ET JE ME SUIS INSCRITE À CES COURS.

ET PUIS FINALE-MENT...

NON, ILS SONT TRÈS MARRANTS TOUS LES DEUX...

EIKI IMITANT GÉGÉGÉ NO KITARÔ* C'ÉTAIT À MOURIR DE RIRE

C'EST PLUTÔT À MOI DE M'EXCUSER: MES AMIS SONT UN PEU BIZARRES ET JE N'AI PAS VRAIMENT DEMANDÉ TON AVIS...

ÇA ? TU PARLES ! C'EST UN PLAISIR !

JE SUIS DÉSOLÉE DE TE FAIRE PORTER CE SAC...

BILLARD

*célèbre personnage de ...ssin animé japonais

TU AS EU DES ENNUIS ICI ?

PEUR ?

NE ME DIS PAS QUE TU N'AS PAS D'AMIS... ?

DANS MA VILLE NATALE, OUI, MAIS À TOKYO, JE NE SAIS PAS, J'AI PEUR...

LIBRAIRIE KOIKE

NON, JE T'ENVIE, TU AS PLEIN D'AMIS.

BAH... DEL... IDIOT... INSOR... BLES... JE S... DÉSOR...

COM MENT DIRE.

JE ME SUIS FAIT AVOIR EN QUELQUE SORTE...

HM...

HI! HI!

TAP

AH... ÇA M'AVAIT ÉCHAPPÉ...

HA! HA!

TU OU BLIES QUE JE SUIS TON AÎNÉE.

AVEC MOI, TU PEUX AVOIR CONFIANCE.

MAIS TU N'A PAS À T'INQUIÉ TER.

CASH POINT
SNACK
MAIS EN TOUT CAS, JE N'AI PAS L'IMPRESSION D'ÊTRE ACCOMPAGNÉE PAR UN GARÇON PLUS JEUNE QUE MOI.
...
HA ! HA ! HA ! IL FAUT DIRE AUSSI QUE JE TRAINE DANS DES ENDROITS PAS TOUJOURS FRÉQUENTABLES !
MERCI POUR CETTE SOIRÉE, TÔRU.
J'ESPÈRE QU'ON IRA DE NOUVEAU BOIRE UN VERRE ENSEMBLE.
SAT
!
OUI...
tac
CIAO !
CLAP
AH...
...

VOUS VOUS CROYEZ OÙ ?!
VOUS N'AVEZ DONC AUCUN CIVISME ...?!
SORTEZ !!!
IL N'Y A PAS DE PLACE POUR LES DÉCHETS COMME VOUS DANS MON COURS !
ALLEZ... ON SORT.
...
tac
OUAIS, ON SE TIRE.
CLAC
...
MAIS JE ME DEMANDE QUI MANQUE DE CIVISME ?
tac
NOUS ? OU BIEN CEUX QUI ONT LA LUBIE DE SE DÉGUISER EN FEMME...?
...!!

HABILLÉ EN FEMME.

QUOI ?!

OUAIS. JE LE VOIS SOUVENT AU CONVENIENCE OÙ JE BOSSE.

TU VEUX DIRE QU'ISHIKAWA A FAIT CE GENRE DE TRUC ?

OUAIS, IL FAUT TROUVER UN TRUC POUR TUER LE TEMPS.

...

ON PREND UNE CAMÉRA ET ON LE SUIT.

J'AI UNE IDÉE.

HONNÊTEMENT, PAS VRAIMENT.

MAIS LE FAIT DE SAVOIR QUE C'EST LUI, C'EST À MOURIR DE RIRE, NON ?

IL DOIT S'IMAGINER QUE PERSONNE NE LE RECONNAÎT MAIS...

SI C'EST LE CAS, IL VAUT MIEUX NE RIEN LUI DIRE.

C'EST INUTILE.

HEIN ? DE QUOI TU PARLES ?

NON, RIEN.

...

"KNOW!' 'è IS KUN"

IL A L'AIR PAS MAL ACCRO CETTE FOIS.

PAS POUR MOI AUJOUR-D'HUI...

J'AI UN TRUC À FAIRE.

T'ILT

HEIN ?!

ALLEZ, SA-LUT !

MAIS NON, IMBÉCILE !

TU VAS CHEZ JUN, C'EST ÇA ?!

# Vous aimez
# " Psychometrer Eiji "?

## Ces pages sont les vôtres

## Vous voulez en parler

### Ces pages sont encore les vôtres.

## Vous avez réalisé des dessins
## et vous voudriez les partager
## avec d'autres ?

# Ces pages sont
# toujours les vôtres !

Comme dans tous les autres mangas de la collection Kana, les lecteurs ont la parole. Nous attendons vos lettres et vos dessins avec impatience!

Deux adresses :

**KANA,**

15/27 rue Moussorgski,
75018 Paris – France

**OU**

7 avenue Paul-Henri Spaak
1060 Bruxelles – Belgique

## Erratum :

Comme certains ont pu le constater, nous avions mal orthographié un terme spécifique dans le volume 4 de Eiji Psychometrer. C'est Stalker et nom Stocker qu'il fallait lire. Toutes nos excuses pour cette erreur.

# LA PSYCHOMÉTRIE EXISTE VRAIMENT.

Certains diront que la curiosité est un vilain défaut. Nous, nous serions plutôt tentés de penser que dans le vaste univers des mangas, elle est indispensable. Aussi avons-nous eu envie d'en savoir un peu plus sur les auteurs de "Eiji Psychometrer", manga très riche en références en tout genre et véritable guide sur la vie des jeunes Japonais de la fin des années 90. Voici donc une partie de ce que nous avons appelé en toute simplicité "le questionnaire de Kana". Vous pouvez retrouver l'interview complète de Yûma Andô sur le site www.mangakana.com. Bien entendu, le tour de Masashi Asaki viendra ensuite !

**1/ Pour commencer, pourriez-vous nous dire quand vous êtes né et si votre nom est un pseudonyme ?**

Je suis né le 22 juillet 1962. J'ai gardé mon vrai nom.

**2/ Pouvez-vous nous raconter comment votre carrière a débuté ?**

En tant qu'éditeur, j'ai commencé par travailler à la production, à la suite de quoi j'ai pris mon indépendance.

**3/ Quel était le titre de votre premier manga ?**

Psychometrer Eiji

**5/ Avez-vous travaillé pour quelqu'un d'autre avant de travailler pour vous ?**

En tant qu'éditeur, j'ai travaillé sur "Shônan junaigumi" (de Tôru Fujisawa, l'auteur de GTO) et "Kirakira" (de Naoko Kubota).

Kirakira n° 2 et 3

Shônan Junaigumi vol. 11 et 12

**8/ Actuellement il est assez habituel de collaborer à la réalisation de BD avant de devenir professionnel. Cela a-t-il été votre cas ?**

Non.

**9/ On peut donc dire que vous avez appris à dessiner seul ?**

Oui.

**14/ Si on parlait de votre série ? Comment est née cette histoire ?**

En fait, c'est lorsque j'ai appris que le don de psychométrie existait vraiment. Je me suis alors dit que cela pourrait être intéressant de raconter des enquêtes sur des crimes banals dans lesquelles le profiling et la psychométrie auraient leur place.

## 15/ Certains personnages sont-ils réels? Vous, qui êtes-vous, par exemple?

Non, aucun. Dans une fiction, je pense que le fait de parvenir à donner vie à des personnages créés de toutes pièces est une des fiertés du métier d'auteur.

## 16/ Quel est votre personnage préféré?

J'aime bien Michiru Fukushima et Tôru Egawa.

## 17/ En travaillant avec les responsables d'édition, jusqu'à quel point vous êtes-vous senti libre? Vous ont-ils limité d'une quelconque manière que ce soit?

Dans la mesure où je savais que j'écrivais pour un public d'adolescents, il fallait bien sûr que je me refrène.

## 18/ Si dès le début vous aviez été libre de toute contrainte, quel genre d'histoire auriez-vous réalisé?

Je me serais certainement plus orienté vers des enquêtes tournant autour de l'argent, du sexe, de la violence et des déséquilibres mentaux.

## 20/ Vous êtes-vous basé sur votre expérience personnelle pour dessiner les scènes ou vous êtes-vous inspiré de documents?

Sur la documentation, évidemment.

**21/ Recevez-vous des lettres de jeunes fans?**

Oui.

**23/ "Psychometrer Eiji" a été publié dans un hebdomadaire au Japon. Comment organisiez-vous votre travail sur une semaine pour réaliser les planches?**

Lorsque j'avais fini de rédiger le scénario d'une histoire, sans attendre et sans prendre le temps de souffler, je commençais des recherches de documentation.

**25/ Quel est votre rythme de travail? Combien de jours consacrez-vous au story-board?**

Je passe 7 jours à travailler sur mes scripts (j'écris plusieurs scénarios en même temps sous plusieurs pseudonymes).

**26/ Il vous restait un peu de temps?**

Pratiquement pas.

**27/ Vous parveniez toujours à respecter les délais?**

OUI!

**28/ Qu'est-ce qui est le plus important pour vous : le dessin ou le story-board?**

De mon point de vue, les deux sont aussi importants.

**29/ Combien d'assistants avez-vous?**

Aucun puisque je suis scénariste.

## 33/ Pourriez-vous nous parler d'un autre de vos mangas ?

Actuellement, je travaille sur un manga qui s'appelle "Kunimitsu No Matsuri" (Le gouvernement de Kunimitsu). C'est un manga qui parle de la dégradation du monde politique. C'est un thème difficile que je voulais essayer de traiter. L'accueil du public est extrêmement favorable et j'en suis très heureux.

Kunimitsu no matsuri vol. 1 et 2.

## 34/ Apportez-vous des modifications pour la parution en manga par rapport à la publication en hebdo ?

Presque jamais.

## 36/ Travaillez-vous avec Internet ?

Oui.

"Kunimitsu no matsuri" (Le gouvernement de Kunimitsu)

GTO

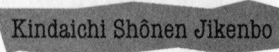

Kindaichi Shônen Jikenbo

Dokaben n°37 et 34

Un manga de
Ryôko Yamakishi

Shoot, la nouvelle
légende.

Get Backers

## 39/ De quels autres dessinateurs êtes-vous fan au Japon ou ailleurs?

Fumiya Satô (dessinateur de Kindaichi shônen jikenbo – Les enquêtes du jeune Kindaichi); Tôru Fujisawa (GTO); Shinji Mizushima (auteur du très célèbre manga sur le base-ball "Dokaben"); Ryôko Yamakishi (auteur de Shôjo); Tsukasa Ooshima (auteur du manga "Shoot!" sur le foot); Randô Ayamine (auteur de "Get Backers" en publication dans le "Shônen magazine").

### (A suivre...)

Questionnaire rédigé et traduit par l'équipe Kana à l'automne 2001.

# NOUVEAUTÉ KANA!!

**NARUTO**

## L'incontournable manga des années 2000.

Naruto de Masashi Kishimoto. Vol. 1.
Sortie prévue : Mars 2002. Collection Kana.

*Laissez votre cœur battre au rythme des ninjas!*

# Retrouvez toutes les séries
# de la collection Kana à Japan Expo
# du 5 au 7 juillet 2002
# au CNIT Paris la Défense

## Plein de cadeaux à gagner!

# AGHARTA

Sur une terre devenue un immense désert dans lequel l'eau est une denrée extrêmement rare et recherchée, Juju, membre d'une organisation de malfaiteurs, fait la connaissance de Rael, jeune fille aussi silencieuse que mystérieuse. Derrière sa beauté et sa grâce se cache une incroyable force qui attire inexorablement notre jeune héros...

Agharta de Takaharu Matsumoto - Volume 1
Sortie prévue : mars 2002. Collection : Big Kana.

L'œuvre la plus aboutie à ce jour de l'auteur. Il peut enfin y mettre à profi[t] toutes ses qualités de dessinateur et d'illustrateur grâce à un scénario de[s] plus complexes. Le thème de la terre dévastée, plongée dans un chaos san[s] nom, en attente d'un potentiel messie est un genre maintes fois traité[.] L'exemple le plus célèbre en Occident étant probablement Akira. La com[-] paraison est certes risquée mais T. Matsumoto s'en sort très bien, laissan[t] des zones d'ombre et de mystère tout au long de son récit, tenant son lec[-] teur en haleine.

La série compte actuellement **6 volumes** dont le dernier, marquant la fi[n] d'une étape dans le récit, est paru à l'automne 2001. La prépublication d[e] la série a alors été interrompue quelques mois avant de reprendre dans l[e] numéro de janvier 2002 : **"Agharta, le Mystère Rael. Un nouveau chapitre"**.

## DANS LA COUR DES GRANDS

**T. Matsumoto** fait partie des auteurs reconnus pour leur grande maîtris[e] d'un style graphique propre et particulièrement soigné. **Agharta**, sa dernièr[e] œuvre en date, est là pour en témoigner : traits vifs et précis, sens aigu d[e] la perspective. On a souvent tendance à faire un parallèle entre manga e[t] bande dessinée : mais tandis que le premier loucherait sur l'art cinémato[-] graphique, la seconde le ferait plutôt sur la littérature. La lecture des man[-] gas de T. Matsumoto illustre bien cette comparaison. L'auteur s'inscrit dan[s] la lignée de grands mangakas comme **Masamune Shirow (Ghost in the Shell)** ou encore **Katsuhiro Otomo (Akira)**.

## UN MOT SUR L'AUTEUR

**Takaharu Matsumoto** est né un 1er mai. Il entretient une passion pour le des[-] sin depuis son plus jeune âge mais c'est au lycée qu'il commence vérita[-] blement à s'y investir. À l'université, il collabore à un fanzine de mangas pa[r] le biais duquel il fait ensuite ses débuts comme professionnel.

Le genre de prédilection de T. Matsumoto est sans conteste la science-fictio[n.] Trois mangas sont représentatifs de son travail : **2 Hearts**, **Virtua Fighter[ :]** **Legend of Sarah** et **Agharta**.

En matière de manga, il revendique les influences d'auteurs tels que[ :] **Makoto Kobayashi (What's Mickael ?)**, **Shinichi Sugimura (Hotel California[,]** **Tokyo Boo)**, **Masahito Soda (Shakariki)**, **Jirô Taniguchi (L'Homme qui marche[,]** **Le Journal de mon Père)**.

EIJI

© DARGAUD BENELUX (DARGAUD-LOMBARD s.a.) 2002
7, avenue P-H Spaak - 1060 Bruxelles

Dépôt légal d/2002/0086/127
ISBN 2-87129-419-4

RETIRÉ DE LA COLLECTION UNIVERSELLE
Conception graphique : Les travaux d'Hércule
Traduit et adapté en français par Thibaud Desbief
Bibliothèque et Archives nationales du Québec

Imprimé en Italie par G. Canale & C. S.p.A. - Borgaro T.se (Torino)